A mis nietos
Agustín y Josefina.

Diseñado por Carolina Sessa.

I.S.B.N.: 950 - 9140 - 21 - X
Publicado en la Argentina en 1998 por COSMOGONIAS S.A.,
SESSA EDITORES.
Pasaje Bollini 2234, C1425ECD, Buenos Aires, República Argentina.
Tels.: (54-11) 4803-6700/6706. Fax: (54-11) 4804-8430.
Coedición realizada por Cosmogonías S. A.
Buenos Aires, República Argentina y
Lisl Steiner, Artist Photo Journal, Estados Unidos de América.
Queda hecho el depósito que dispone la ley N° 11.723.
© Fotografías de Aldo Sessa.
Impreso en China.

ARGENTINA
un mundo de paisajes

ARGENTINA
a world of landscapes

ARGENTINA
um mundo de paisagens

Aldo Sessa

FOTOGRAFÍAS

GARCIA
FERNANDEZ
TURISMO

To: Ms. Jessie Cassar

Thank you for the opportunity of showing you some beautiful things about our country.
I hope you keep this book as a souvenir from our meeting.

Kind regards,

Diego García Fernández

Garcia Fernandez Turismo
Viamonte 752 - 3 office 6 / Ciudad de Buenos Aires / Argentina /
Phone : 54 11 4322 5252 /Fax: 54 11 4326 3007/
E.mail: dgfernandez@gft.com.ar / web page: www.gft.com.ar /

ARGENTINA, UN MUNDO DE PAISAJES

prólogo de Elsa Insogna

El nombre de ARGENTINA convoca a un armonioso conjunto de realidades geográficas, socioeconómicas y culturales difícilmente separables, aunque cada una de ellas, protagónica.

EL PAISAJE. Se abre una variedad de escenarios naturales, cada uno de ellos "dibujado" con rasgos fuertes y coloridos: *La montaña*, al oeste. Un trazo por momentos inexpugnable; presenta, de norte a sur: la imponente y colorida aridez de la *Puna* en Salta y Jujuy, reinado de las cactáceas, vigías de mansos rebaños de llamas, de alpacas y de ariscas vicuñas; las altísimas y pétreas cumbres, refugio de cóndores, de San Juan y Mendoza, a cuyos pies florecen fértiles oasis de cultivo: el impactante paisaje alpino de los *Andes patagónicos*, donde los más hermosos ciervos americanos dibujan sus siluetas entre pehuenes, arrayanes y alerces y las truchas surcan raudas las aguas de sus lagos transparentes.

En las *sierras*, en Córdoba y en San Luis, arroyos, diques y represas burlan la sequedad del clima mediterráneo y crean lugares de idílica belleza, preferidos por el hombre, entre bosques de mistoles y algarrobos y matas de piquillín y jarilla.

La *llanura*, inmensa, apenas interrumpida por algunas serranías, sorprende: al norte con la exuberancia de la *selva chaqueña*, rica en palos borrachos, lianas y palmeras, alborotada por monos y pájaros vistosos e imprevisible por la presencia de felinos...; en la *Mesopotamia*, con el espectáculo único de las cataratas del Iguazú, con la dulce influencia guaraní entre los naranjales y esteros correntinos, con el ambiente acogedor de lomadas y palmares en Entre Ríos, con el bucólico paisaje del Delta, con la riqueza ictícola de sus ríos acariciados por sauces y por ceibos; por fin, en la *Pampa*, nombre simbólico cuando de la Argentina se habla: árida al sudoeste, la Pampa se extiende hacia el Plata y hacia el océano en más de 500.000 kilómetros cuadrados de praderas fértiles

con zorros, vizcachas y veloces ñandúes que pueblan sus altos y tiernos pastizales.

La meseta patagónica. Una geografía fuerte y de contrastes que ocupa casi una cuarta parte del territorio continental argentino: a las enormes extensiones de terrenos pétreos donde los vientos obligan a la pobrísima vegetación a aferrarse al suelo y en los que el solitario *mará* salva distancias entre matas espinosas, se oponen la presencia de glaciares colosales, valles fértiles, una fauna inédita, ovinos cubriendo, en apretados rebaños, superficies impensadas...; ricas cuencas petrolíferas, imponentes costas acantiladas, un mar riquísimo en peces...

EL HOMBRE. El hombre, a su vez, en cada paisaje estampó su impronta y, gracias a su ingenio y labor, surgieron cultivos y plantaciones de todos los climas, ganadería altamente refinada, torres de petróleo, complejos hidroeléctricos, parques industriales, carreteras, aeropuertos. Simultáneamente nacieron los pueblos y ciudades, y con ellos, los centros de cultura, entre los primeros en América latina, tales como Salta, Córdoba, Buenos Aires, que conservan testimonios del pasado hispánico y a la vez son, junto con Tucumán, Mendoza, Rosario, Bahía Blanca, Bariloche...; modernos polos dal desarrollo económico y cultural del país. Una feliz amalgama de razas y pueblos, procedentes de países europeos y también asiáticos, con un moderado aporte del mestizaje iberoamericano, configura la población argentina en la que conviven culturas y tradiciones diversas.

BUENOS AIRES, capital del país, recostada sobre la margen derecha del Río de la Plata, preside con orgullo este *"Mundo de paisajes"*. Se abre generosa hacia todos los horizontes y ostenta los títulos de muy argentina y muy cosmopolita. En medio del bullicio de gran ciudad, se advierte la cálida intimidad que brota del trato cordial de su gente .

ARGENTINA, A WORLD OF LANDSCAPES

prologue by Elsa Insogna

The name Argentina invokes a harmonious grouping of geographic, socio-economic and cultural details that are difficult to separate, although each and every one of them is of prime importance.

THE LANDSCAPE. A great variety of natural scenes are presented, each "painted" with strong and colorful strokes.

The mountains of the west. This portion, at times indomitable, reaches from the north to the south. The imposing and colorful dryness of the Puna in Salta and Jujuy Provinces, realm of the cactus, the watchtowers of animals; flocks of llamas, alpacas, and shy vicuñas; the lofty and rocky peaks of San Juan and Mendoza Provinces, refuge of the condors, at whose feet lie fertile gardens; the striking Alpine setting of the Patagonian Andes where the silhouette of the most beautiful native deer appears among the indigenous trees-araucaria, arrayan, larch-and where trout dart through the transparent waters of the lakes.

In the hills of Córdoba and San Luis Provinces brooks, dikes and dams scoff at the arid climate and spots of idyllic beauty, loved by man, are created among the forests of jujubes and algarrobos and thickets of buckthorn and arum.

The immense plains are barely interrupted by a few low hills. In the north is the exuberance of the Chaco jungle, rich in its own special flora and palm forests populated by boisterous monkeys and colorful birds, unpredictable because of the presence of big cats. In the Mesopotamia, the unique spectacle of Iguazú Falls with the soft influence of the Guaraní Indian culture; the orange groves and swamps of Corrientes Province; the inviting atmosphere of the hills and palm forests of Entre Ríos Province; the bucolic setting of the Delta with rivers full of fish and caressed by willows and ceibos; and finally the Pampas, a name that comes to mind whenever speaking of Argentina, dry to the southwest and extending to the Río de la Plata and toward the Atlantic with more than 500,000 square kilometers of fertile prairies where wolves, vizcachas and swift ñandúes (American ostriches) populate its tall and tender grasses.

The Patagonian Mesa. An imposing landscape with dynamic contrasts that takes up almost a quarter of the Argentine continental territory where the enormous tracts of rocky land with winds that force the scanty vegetation to hug the ground and where the lone mará punctuates the distances between spiny thickets are contrasted to colossal glaciers, fertile valleys, an unexcelled fauna, flocks of sheep covering immense areas, rich oil fields, imposing cliff-lined coasts and an ocean abundant with fish.

MAN. Man, in his own time, has left a stamp on the landscape. Using his talent and effort farms and plantations of all types, highly developed cattle, oil derricks, hydroelectric complexes, industrial parks, highways, and airports have sprung up. At the same time towns and cities were born, and with them cultural centers. Among the first in Latin America were those in Salta, Córdoba and Buenos Aires which preserve traces of the Spanish tradition, along with those of Tucumán, Mendoza, Rosario, Bahía Blanca and Bariloche, modern poles of the country's economic and cultural development.

A happy mixture of races and peoples from European and Asiatic countries, with the light mixture of native blood, makes up the Argentine population in which diverse cultures and traditions exist together.

BUENOS AIRES, the country's capital, setted on the right bank of the Río de la Plata, presides over this *World of landscapes* She generously opens her doors in every direction and proudly displays her air of being very Argentine and very cosmopolitan. In the midst of the bustle of the big city can be felt the warm intimacy emanating from the friendliness of its people.

ARGENTINA, UM MUNDO DE PAISAGENS

prólogo de Elsa Insogna

O nome ARGENTINA convoca um harmonioso conjunto de realidades geográficas, sócio-econômicas e culturais dificilmente separáveis, embora cada uma delas seja um protagonista.

A PAISAGEM. Abre-se uma variedade de cenários naturais, cada um deles "desenhado" com rasgos fortes e coloridos:
A montanha, ao oeste. Um traço por momentos inexpugnável. Apresenta, do norte ao sul: a imponente e colorida aridez da Puna em Salta e Jujuy, reinado das cactáceas, sentinelas de mansos rebanhos de lhamas, alpacas e ariscas vicunhas; os altíssimos e pétreos cumes, refúgio de condores, de San Juan e Mendoza, a cujos pés florescem férteis oásis de cultivo: a deslumbrante paisagem alpina dos Andes Patagônicos, onde os mais formosos cervos americanos desenham suas silhuetas entre "pehuéns" (= variedade de pinheiro), "arrayanes" (= árvore típica) e "alerces" (= variedade das coníferas) e as trutas sulcam velozmente as águas dos seus lagos transparentes.
Nas serras, em Córdoba e San Luís, arroios, diques e represas enganam a sequidão do clima mediterrâneo e criam lugares de beleza idílica, preferidos pelo homem, entre bosques de "mistoles" (= planta da família das ramnáceas) e algarobos e matas de "piquillin" (= variedade de ramnácea) e "jarilla" (= arbusto resinoso).
A planície, imensa, somente interrompida por algumas serranias, surpreende: ao norte, com a exuberância da selva do Chaco, rica em "palos borrachos" (= árvore típica), cipós e palmeiras, com o alvoroço dos macacos e pássaros vistosos e imprevisível pela presença de felinos; na Mesopotâmia, com o espetáculo único das Cataratas do Iguaçu; a doce influência guarani entre os laranjais e esteros de Corrientes; o ambiente acolhedor de lombadas e palmeirais em Entre Rios; a paisagem bucólica do Delta, com a riqueza píscea de seus rios acariciados por salgueiros e seibos; finalmente, na Pampa, nome que é um símbolo quando se fala da Argentina: árida ao sudoeste, a Pampa estende-se até o Plata e em direção ao oceano por mais de 500.000 quilômetros quadrados de pradarias férteis com raposas, "vizcachas" (= roedor da família das chinchilas) e velozes nhandus que povoam seus altos e tenros capinzais.

A meseta patagônica. Uma geografia forte e de contrastes, que ocupa quase a quarta parte do território continental argentino: às enormes extensões de terrenos pedregosos, onde os ventos obrigam a paupérrima vegetação a prender-se ao solo e nos que o solitário mará vence distâncias entre matas espinhosas, opõe-se a presença de geleiras colossais, vales férteis, uma fauna jamais vista, ovinos cobrindo; em rebanhos amontoados, superfícies impensadas, ricas bacias petrolíferas, imponentes costas escarpadas, um mar riquíssimo em peixes...

O HOMEM. O homem, por sua vez, estampou sua marca em cada paisagem e, graças ao seu engenho e labor, surgiram cultivos e plantações de todos os climas, pecuária altamente refinada, torres de petróleo, complexos hidrelétricos, parques industriais, rodovias, aeroportos. Simultaneamente, nasceram os povoados e cidades e, com eles, centros de cultura entre os primeiros da América Latina, tais como Salta, Córdoba, Buenos Aires, que conservam testemunhos do passado hispânico e são, ao mesmo tempo, juntamente com Tucuman, Mendoza, Rosário, Bahia Blanca, Bariloche, modernos polos do desenvolvimento econômico e cultural do país.
Uma feliz amálgama de raças e povos procedentes de países europeus e também asiáticos, com uma contribuição moderada da mestiçagem ibero-americana, configura a população argentina na qual convivem culturas e tradições diversas.

BUENOS AIRES, capital do país, recostada sobre a margem direita do Rio de la Plata, preside com orgulho este *Mundo de paisagens*. Abre-se generosa em direção a todos os horizontes e ostenta os títulos de muito argentina e cosmopolita. Em meio ao ruído da grande cidade sente-se a afetuosa intimidade que brota do trato cordial de sua gente.

El Pucará de Tilcara. Pcia. de Jujuy. /
El Pucará in Tilcara. Jujuy Prov. /
O "Pucará" (= forte indígena) de Tilcara. Prov. de Jujuy.

Pág. 9. Iglesia de San Francisco, Tilcara. Idem. /
Church of San Francisco, Tilcara. Idem. /
Igreja de São Francisco, Tilcara. ·Idem.

Puerta del Convento de San Bernardo. Pcia. de Salta. /
San Bernardo Convent door. Salta Prov. /
Porta do Convento de São Bernardo. Prov. de Salta.

11

Pág. 10. Iglesia de San Francisco. Idem. /
Church of San Francisco. Idem. /
Igreja de São Francisco. Idem.

Pág. 12, Casa del Obispo Colombres. San Miguel de Tucumán. /
Residence of Bishop Colombres. San Miguel de Tucumán. /
Casa do Bispo Colombres. San Miguel de Tucumán.

13

Caña de azúcar. Pcia. de Tucumán. /
Sugar cane. Tucumán Prov. /
Cana de açúcar. Prov. de Tucumán.

Nogales. Pcia. de Catamarca. /
Walnut tree. Catamarca Prov. /
Nogueiras. Prov. de Catamarca.

14

Pág. 15, Colonia Tinco. Pcia. de Santiago del Estero. /
Colonia Tinco. Santiago del Estero Prov. /
Colônia Tinco. Prov. de Santiago del Estero.

Pág. 16, Palmeras en los esteros. Pcia. del Chaco. /
Palm trees in the swamps. Chaco Prov. /
Palmeiras nos esteros. Prov. de Chaco.

17

Palo Borracho, Los Chezes. Pcia. de Formosa. /
Palo Borracho (literally, drunken tree), Los Chezes. Formosa Prov. /
"Palo Borracho" (= Chorisia), Los Chezes. Prov. de Formosa.

Págs. 18-19, Ruinas de la Misión de San Ignacio Miní. Pcia. de Misiones. /
Ruins of the San Ignacio Miní Mission. Misiones Prov. /
Ruínas da Missão de São Ignácio Mini. Prov. de Misiones.

19

Págs. 20-21. Cataratas del Iguazú, Parque Nacional Iguazú. Pcia. de Misiones. /
Iguazú Falls, Iguazú National Park. Misiones Prov. /
Cataratas do Iguaçu, Parque Nacional Iguaçu. Prov. de Misiones.

23

Pesca del dorado. Goya. Idem. /
Catching the dorado. Goya. Idem. /
Pesca do dourado. Goya. Idem.

Parque y Reserva Nacional "El Palmar", Colón. Pcia. de Entre Ríos. /
"El Palmar" [The Palm Grove] National Park and Reserve, Colón. Entre Ríos Prov. /
Parque e Reserva Nacional "El Palmar" (O Palmeiral), Colón. Prov. de Entre Ríos.

24

Págs. 26-27, Parque Provincial de Talampaya. Pcia. de La Rioja. /
Talampaya Provincial Park. La Rioja Prov. /
Parque Provincial de Talampaya. prov. de La Rioja.

Pág. 25, Palacio San José, Concepción del Uruguay. Idem. /
San José Palace, Concepción del uruguay. Idem. /
Palácio São José, Concepción del Uruguay. Idem.

29

Págs. 34-35. Salinas del Bebedero. Pcia. de San Luis. /
"Bebedero" Salt Marsh. San Luis Prov. /
Salina del Bebedero. Prov. de San Luis

Pág. 36, Monumento Nacional de la Bandera, Rosario. Pcia. de Santa Fé. / *National Monument to the Flag, Rosario. Santa Fe Prov.* / Monumento Nacional à Bandeira, Rosário. Prov. Santa Fé.

Aljibe, Casco Histórico. Ciudad de Santa Fé. / *The Well at a historic main house. City of Santa Fe.* / Algibe, Centro Histórico. Cidade de Santa Fe.

Págs. 38-39, Zona céntrica. Capital Federal. / *Downtown. Federal Capital.* / Zona céntrica. Capital Federal.

Sala de espectáculos, Teatro Colón. Capital Federal. /
Main Hall, Colón Theatre. Federal Capital. /
Salão de espectáculos, Teatro Colón. Capital Federal.

Pág. 41, Tango. / *Tango.* / Tango.

Pág. 42, Playa, Mar del Plata. Pcia. de Buenos Aires. /
Beach, Mar del Plata. Buenos Aires Prov./
Praia, Mar del Plata. Prov. de Buenos Aires.

Sillas, Idem. / *Chairs, Idem.* / Cadeiras, Idem.

El "rito" del asado. Parque Criollo. San Antonio de Areco. Pcia. de Buenos Aires. /
The ritual of the barbecue. Criollo Park. San Antonio de Areco. Buenos Aires Prov. /
O ritual do churrasco. Parque Criollo (= nativo). San Antonio de Areco. Prov. de Buenos Aires.

44

Pág. 45, Gaucho "surero". Idem. /
A Gaucho of the southern pampas. Idem. /
"Gaucho sureiro". idem.

Págs. 46-47, Rancul, Pcia. de La Pampa. /
Rancul, La Pampa Prov. /
Rancul, Prov. La Pampa.

Hotel Llao - Llao. Pcia. de Rio Negro. /
Llao - Llao Hotel. Rio Negro Prov. /
Hotel Llao - Llao. Prov. de Rio Negro.

48

Pág. 49, Cerro Catedral, San Carlos de Bariloche. Idem /
Mount Catedral, San Carlos de Bariloche. Idem./
Cerro Catedral, San Carlos de Bariloche. Idem.

Pág. 50, Lago Nahuel Huapi, San Carlos de Bariloche. Pcia. de Rio Negro. /
Lake Nahuel Huapi, San Carlos de Bariloche. Rio Negro Prov. /
Lago Nahuel Huápi, San Carlos de Bariloche. Prov. de Rio Negro.

51

Country Club de Cumelén. Pcia. del Neuquén. /
Cumelén Country Club. Neuquén Prov. /
Country Clube de Cumelén. Prov. Neuquén.

Pingüinera,
Punta Tombo. Pcia. del Chubut. /
Colony of Penguins,
Punta Tombo. Chubut Prov./
"Pingüineira" (= Reserva de Pingüins),
Punta Tombo. Prov. del Chubut.

Elefante marino, Puerto Pirámide. Idem.
Sea elephant, Puerto Pirámide. Idem.
Elefante marinho, Porto Pirâmide. Idem.

Pág. 53, Ballena franca del sur.
Puerto Pirámide. Idem. /
Southern whalebone whale.
Puerto Pirámide. Idem. /
Baleina "Franca" (= mansa) do sul.
Puerto Pirâmide. Idem.

Glaciar Perito Moreno. Lago Argentino. Pcia. de Santa Cruz. /
Perito Moreno Glacier. Argentine Lake. Santa Cruz Prov. /
Geleira Perito Moreno. Lago Argentino. Prov. de Santa Cruz.

Págs. 56-57, Yunta de ovejas. Pcia. de Tierra del Fuego, Antártida e Islas del Atlántico Sur. /
A pair of sheep. Tierra del Fuego, Antártida e Islas del Atlántico Sur Prov. /
Casal de ovelhas. Prov. de Tierra del Fuego, Antártida e Islas del Atlántico Sur.

Puerto de Ushuaia. /
Port of Ushuaia. / Porto do Ushuaia.

59

Pág. 58. Ciudad de Ushuaia. Pcia. de tierra del Fuego, Antártida e Islas del Atlántico Sur. /
The City of Ushuaia. Tierra del Fuego, Antártida e Islas del Atlántico Sur Prov. /
A Cidade de Ushuaia. Prov. de Terra do Fogo, Antártida e Ilhas do Atlântico Sul.

INDICE DE PROVINCIAS
por orden alfabético

REPÚBLICA ARGENTINA
División Política /
Political Division / Divisão Política

LIBROS ILUSTRADOS POR ALDO SESSA

COSMOGONÍAS (1976) poemas de Jorge Luis Borges / dibujos de Aldo Sessa
LETRA e IMAGEN de BUENOS AIRES (1977) textos de Manuel Mujica Lainez / fotografías de Aldo Sessa
MÁS LETRAS e IMÁGENES de BUENOS AIRES (1978) textos de Manuel Mujica Lainez / fotografías de Aldo Sessa
ARBOLES de BUENOS AIRES (1979) poemas de Silvina Ocampo / fotografías de Aldo Sessa
FANTASMAS PARA SIEMPRE (1980) textos de Ray Bradbury / dibujos y pinturas de Aldo Sessa
NUESTRA BUENOS AIRES (1982) textos de Manuel Mujica Lainez / fotografías de Aldo Sessa
TUCUMAN (1982) fotografías de Aldo Sessa
JOCKEY CLUB, UN SIGLO (1982) texto de Manuel Mujica Lainez / fotografías de Aldo Sessa
VIDA Y GLORIA DEL TEATRO COLON (1982) texto de Manuel Mujica Lainez / fotografías de Aldo Sessa
MAS VIDA Y GLORIA DEL TEATRO COLON (1985) texto de Silvina Bullrich / fotografías de Aldo Sessa
RINCONES DE BUENOS AIRES (1987) texto de José María Peña / fotografías de Aldo Sessa
YRURTIA (1988) fotografías de Aldo Sessa
ARGENTINA, Una aventura fotográfica (1990) texto de Elsa Insogna / fotografías de Aldo Sessa
ARGENTINA, for export (1991) texto de Elsa Insogna / fotografías de Aldo Sessa
ARGENTINA panorama (1992) texto de Elsa Insogna / fotografías de Aldo Sessa
MANHATTAN PANORAMA (1992, Rizzoli International) / fotografías de Aldo Sessa
MAGICA BUENOS AIRES (1992) prólogo de José María Peña / fotografías de Aldo Sessa
PATAGONIA ARGENTINA, el lejano sur (1993) texto de Elsa Insogna / fotografías de Aldo Sessa
PUNTA DEL ESTE (1994) prólogo de Julia Rodríguez Larreta / fotografías de Aldo Sessa
LOS ARGENTINOS (1994) prólogo de Ignacio Gutiérrez Zaldívar / fotografías de Aldo Sessa
LOS ARGENTINOS II (1995) prólogo de Félix Luna / fotografías de Aldo Sessa
FLORES Y ARBOLES de BUENOS AIRES (1995) prólogo de José María Peña / fotografías de Aldo Sessa
EL MAGICO MUNDO del TEATRO COLON (1995) prólogo de Angel Fumagalli / fotografías de Aldo Sessa
ARGENTINA desde el AIRE, el AGUA y la TIERRA (1995) texto de Elsa Insogna / fotografías de Aldo Sessa
NUEVA ARGENTINA PANORAMA (1996) texto de Elsa Insogna / fotografías de Aldo Sessa
LOS GAUCHOS, su paisaje, sus costumbres, destrezas y lujos (1997) textos de Juan José Güiraldes / fotografías de Aldo Sessa
GAUCHOS ARGENTINOS (1998) texto de Juan José Güiraldes / fotografías de Aldo Sessa
GAUCHOS (1998) texto de Elsa Insogna / fotografías de Aldo Sessa
ARGENTINA, un mundo de paisajes (1998) prólogo de Elsa Insogna / fotografías de Aldo Sessa
NEW ARGENTINA for export (1998) texto de Elsa Insogna / fotografías de Aldo Sessa
BUENOS AIRES PANORAMA (1998) texto de José María Peña / fotografías de Aldo Sessa
TANGO (1999) prólogo de Enrique Cadícamo / fotografías de Aldo Sessa
SESIONES Y FANTASMAS (2000) prólogo de Ray Bradbury / fotografías de Aldo Sessa
POLO ARGENTINO, Recuerdos del Abierto (2001) prólogo de Juan Carlos Harriot / fotografías de Aldo Sessa
ALMAS, ANGELES Y DUENDES DEL TEATRO COLÓN (2001) introducción de Enzo Valenti Ferro / fotografías de Aldo Sessa
PATAGONIA ARGENTINA (2001) texto de Elsa Insogna / fotografías de Aldo Sessa
LUCES Y SOMBRAS DE BUENOS AIRES (2003) texto de José María Peña / fotografías de Aldo Sessa
ESTANCIAS, PALACIOS CRIOLLOS DE ARGENTINA (2004) textos de Elsa Insogna / fotografías de Aldo Sessa

PARTICIPARON EN LA REALIZACIÓN DE ESTE LIBRO:

Aldo Sessa: Dirección del proyecto.

Estudio Aldo Sessa
http://www.aldosessa.com.ar

Carolina Sessa: Diseño gráfico.
Carlos A. Silva: Producción gráfica.
Jorge D. Granados: Archivo general.

Sessa Editores
http://www.sessaeditores.com.ar

Luis Sessa: Director. Gerente Comercial.
Mariano Emanuelli: Gerente de Administración y Finanzas.

Lisl Steiner: Liaison en EE. UU.

Ted McNabney: Traducción al inglés.
Lelia Wistak: Traducción al portugués.

Todas las fotografías que ilustran este libro forman parte del archivo de
Aldo Sessa Photo Stock Argentina
http://www.sessaphotostock.com
Pasaje Bollini 2234, C1425ECD, Buenos Aires, República Argentina
Tels.: (54-11) 4803-6700/6706. Fax: (54-11) 4804-8430

Esta edición de "ARGENTINA un mundo de paisajes", con fotografías de Aldo Sessa,
se terminó de imprimir en China el 25 de octubre de 2006.